Mister Ka et le squelette inca

Elisabeth Motsch

Mister Ka et le squelette inca

Illustrations de Kimiko

Mouche
l'école des loisirs
11, rue de Sèvres, Paris 6ᵉ

Du même auteur à *l'école des loisirs*

Collection MOUCHE

Mister Ka et la cave aux mystères
Pas de coca pour Mister Ka

Air marin
Le fils du roi m'a déçue
Gabriel
Qu'est-ce qu'on dit ?
La mort du Grand Pupu
Non merci !
La princesse aux grands pieds

© *2009, l'école des loisirs, Paris*
Loi n° 49.956 du 16 juillet 1949 sur les publications
destinées à la jeunesse : septembre 2009
Dépôt légal : septembre 2009
Imprimé en France par l'imprimerie Pollina - n° L51502

ISBN 978-2-211-09746-8

Sommaire

Chapitre 1
La momie

Mister Ka, c'est mon nom de détective. Avec mon père, on s'amuse à résoudre des énigmes. Il m'apprend à étudier les indices et à prévoir les risques, parce que traquer des gangsters c'est dangereux. Mais en ce moment, il travaille et ma mère aussi. Je vais donc passer la semaine des vacances de Pâques chez ma grand-mère, à la campagne.

Ma grand-mère, tout le monde l'appelle Nonita. Elle n'a peur de rien.

Pourtant, elle vit toute seule dans sa maison et ce ne sont pas les poules ni les chats qui pourraient la défendre en cas d'attaque. Quant à son chien, Rex, c'est l'animal le plus trouillard que je connaisse ! En plus, il n'est pas obéissant. Mais tout le monde l'aime bien, c'est ça la vie, il y en a qui se font aimer, même s'ils ne font rien pour.

J'ai passé le goût des enquêtes à mes deux amis du village. Déborah habite à trois maisons d'ici. Jack est du village d'à côté, c'est son cousin. Il est content de m'avoir rencontré, dit-il, parce que je suis curieux, comme lui.

Quand ils sonnent à la porte, Nonita les accueille.

– Holà ! Vous êtes trempés, entrez vite !

Jack me donne une grosse tape dans la main, pour me saluer.

– Salut Mister Ka ! Puis plus bas : Qu'est-ce qu'on va découvrir pendant ces vacances ?

Je souris, l'air entendu.

– Il pleut ! se lamente Déborah. C'est pas de chance !

– S'il pleut, vous serez mieux, ici, dit Nonita.

On se regarde, déçus.

D'un doigt, elle feuillette le journal pour trouver les programmes.

– Est-ce qu'il y a des dessins animés ? demande Déborah.

– Ou des films qui font peur ? dit Jack avec un sourire mauvais.

– Voyons voir… Ah oui ! Un documentaire sur les Incas, en trois parties.

Ta maman m'en a parlé, dit-elle en se tournant vers moi.

— C'est bien ? dis-je, soupçonneux.

Par-dessus son épaule, je lis tout haut :

« *Une découverte extraordinaire… Une enquête magnifiquement menée… Les morts parlent !* »

— Les morts parlent ? répète Déborah en haussant les sourcils.

— Les Incas, dit Jack, Tintin les rencontre dans *Le Temple du Soleil*. C'est une histoire qui fait peur !

— Mais qu'est-ce que c'est que cette découverte extraordinaire ? demande Déborah.

— Nous allons le savoir, dit ma grand-mère en appuyant sur le bouton du vieux téléviseur.

L'émission commence par un voyage en hélicoptère au-dessus d'une longue chaîne de montagnes. On survole la cordillère des Andes, au Pérou. Cela me donne un peu le vertige. Mais j'aime bien la musique qui accompagne l'image, avec ces flûtes et ces tambours. Déborah se balance en rythme.

L'avion se pose sur un terrain sec et râpé. Il n'y a pas grand-chose à voir sinon quelques hommes en cirés jaunes, assis ou accroupis par terre. Autour d'eux, des cordes sont tendues. Elles tracent des lignes qui forment des carrés. Un journaliste en chemisette bleue nous explique que ces hommes sont des archéologues et qu'ils font des fouilles. Chacun a son carré dans lequel il doit creuser. Mais les objets qu'ils peuvent trouver sont très fragiles, aussi faut-il y aller doucement, avec une petite pelle et un seau.

On voit les hommes gratter, gratter… Ça manque un peu d'action.

Des archéologues de cette équipe, nous dit le journaliste, *ont mis à jour de superbes momies.*

Et soudain… Horreur ! Une momie apparaît à l'écran ! Impressionnante. Un vrai mort vivant. Je m'oblige à ne pas détourner les yeux. Déborah se mord les doigts. Jack a la bouche grande ouverte. On n'ose plus bouger.

Un archéologue désigne la tête de la momie. Il a l'air tout content mais personnellement, je n'ai jamais vu quelque chose d'aussi horrible. *Elle a des vrais cheveux,* dit-il, admiratif. Je les vois surtout longs et mal peignés, retenus par un large ruban de perles. Le visage est brun et très humain mais comme écrasé. Sur les doigts, la peau est toute sèche et colle aux os. Autour du cou, la momie a un beau pendentif en corne, qui plairait à Maman. On dirait un vivant mais extrêmement vieux !

Cet homme est mort il y a cinq cents ans environ, dit l'archéologue, comme s'il avait entendu ma pensée.

La caméra se rapproche encore pour nous montrer la momie en gros plan. Ce visage terreux mais si expressif nous fascine et nous terrorise à la fois.

Chapitre 2
À la recherche des squelettes

Ma grand-mère est déjà occupée à sa cuisine. Mais nous, les enfants, nous avons du mal à oublier les Incas.

– Si on fouillait autour du village, vous croyez qu'on trouverait des squelettes ? dis-je, mi-sérieux, mi-blagueur.

Un silence me répond. Est-ce que j'aurais deviné quelque chose, sans m'en douter ? J'insiste :

– On n'en trouverait pas.

— Peut-être que si, marmonne Nonita, qui prépare un poulet pour le dîner.

Elle lui enlève, avec les mains, tout ce qu'il a dans le ventre. Je la regarde intensément. Son visage n'exprime rien, sinon l'application à sa tâche.

Alors Déborah, d'une voix timide, déclare que des os ont été retrouvés dans la colline aux loups. Et elle jette un regard vers la fenêtre, d'où la colline est visible.

— J'en ai entendu parler, dit Jack. Il y aurait des squelettes très anciens.

— Anciens, je ne sais pas, intervient Nonita. Mais des récents, ça, il y en a.

Elle est très affirmative et toujours concentrée sur son poulet, qu'elle découpe maintenant en morceaux.

Dans mon lit, la nuit venue, je n'arrive pas à trouver le sommeil. C'est la pleine lune et sa lumière blanche se glisse entre les rideaux de la fenêtre. Pourquoi ma grand-mère a-t-elle dit ça ? Elle ne peut pas mentir, c'est impossible. Est-ce qu'une équipe de chercheurs viendra un jour examiner les squelettes d'ici, comme pour les Incas ? Il faut que j'éclaircisse cette affaire avec mes amis. À force de me poser des questions, je finis par m'endormir. Et là, dans mes rêves, des momies incas s'adressent à moi, mais je ne comprends pas ce qu'elles disent.

Le lendemain, on part tous les trois vers la colline aux loups, sans même en discuter, comme si l'on s'était donné le mot pendant la nuit. Je crois que Jack et

Déborah sont curieux de savoir, eux aussi, quel mystère renferme ces hauteurs inhabitées.

La pente est assez rude, nous la montons rapidement comme s'il fallait se presser de découvrir un événement extraordinaire. Les rumeurs du village ne m'impressionnent pas trop, il se dit et se répète tant de choses ! Mais la déclaration tranquille de ma grand-mère me trotte dans la tête.

— J'espère qu'il n'y a plus de loups, dit Déborah.

— C'est une espèce protégée, répond Jack.

— On n'a donc pas le droit de les tuer, dis-je.

— Mais qu'est-ce qu'on ferait si on en rencontrait ? s'inquiète Déborah.

– On se sauverait ! dit Jack, en haussant les épaules.

Ce sont plutôt aux squelettes que je pense. Je me demande ce qu'on va trouver là-haut. Rex nous suit en frétillant de la queue, c'est une grande sortie pour lui. Peu à peu, le paysage devient plat, on marche et on respire plus facilement. Autour de nous, les buis envahissent presque tout l'espace, étouffant les arbustes. Le chemin de crête, heureusement, a été dégagé, nous nous suivons en file indienne. Parfois, la végétation disparaît et on voit loin, c'est agréable. Les collines succèdent aux collines, elles ressemblent aux montagnes des Andes, en plus petit. Un instant, on s'arrête sur un espace ouvert pour vérifier qu'il n'y a pas trace de squelettes ni même d'ossements. Mais il n'y a rien d'intéressant, ce qui me rassure, en fait.

— On va peut-être redescendre, maintenant, dit Déborah.

Je l'approuve. Mais Jack s'exclame :

— Ah non ! Moi je ne redescends pas. On est venus là pour faire des découvertes et pour l'instant, on n'en a fait aucune ! Si vous voulez repartir, allez-y, moi je continue, avec Rex !

Rex aboie plusieurs fois, content qu'on ait mentionné son nom.

— Il pourrait nous mettre sur des traces, remarque Déborah.

Rex nous regarde, étonné, ou bien il s'attend à une gâterie. Je sors un gâteau sec du sac à dos et le lui tends. Du coup, nous avons tous une petite faim. Un

peu plus loin, au carrefour de deux che-
mins, des souches d'arbres nous attirent.
Nous nous installons pour grignoter,
sous un soleil pâle.

Un couinement de Rex nous fait
sursauter. Il a l'air de suivre une piste,
peut-être un animal ? Non ! Il nous
conduit vers un petit terre-plein, caché
derrière des ronces entremêlées. Il geint,
il a peur. Que sent-il ? En approchant
on constate que la terre a été retournée.
Je fais remarquer que l'herbe l'a déjà
envahie. Donc, ce n'est pas récent. Rex
nous entraîne à présent vers un autre
rectangle de terre. Et là, pas d'hésitation,
cela ressemble à une tombe. Une petite
tombe. Il y a peut-être un cadavre, là.
Immobiles, nous restons un long
moment les yeux fixés vers le sol.

Chapitre 3
Des Incas redoutables

Bien sûr, nous pensons tous les trois à un crime. Mais nous n'avons aucune preuve. Et même si ce n'est pas un crime, pourquoi creuser des tombes ici, loin de tout ? Pourquoi les cacher ? Nonita nous a laissé penser que ce n'étaient pas de vieux squelettes. Donc pas des morts d'il y a cinq cents ans, comme ceux qu'ont découverts les archéologues.

— Les morts doivent être enterrés dans des cimetières, dis-je à voix basse.

— Ou bien être incinérés, continue Déborah.

— Qu'est-ce que ça veut dire « incinérés » ? demande Jack.

— Brûlés, réduits en cendres. À voix basse elle ajoute : Il faut qu'on parle de cette découverte à nos parents. Ils feront venir la police, peut-être.

— Si j'en parle à mon père, dit Jack, il va me gronder, je vois ça d'ici. Il me dira : « Vous n'avez pas autre chose à faire que de fouiller les tombes ? »

— On ne les fouille pas ! proteste Déborah.

Nous repartons vers le village, songeurs. Chacun de nous interprète la découverte à sa manière, je crois. Personnellement, je préfère m'en remettre à ma grand-mère.

Au dîner, tandis que nous dégustons un poulet aux herbes, j'aborde le sujet. Mais c'est Nonita qui me questionne, pour finir :

– Vous n'avez pas joué aux archéologues ? Vous avez laissé ces pauvres morts tranquilles ?

À la télé, ce soir, il y a des dessins animés. Cela me change les idées. Mais qu'a-t-elle voulu dire ?

Aujourd'hui, mercredi, nous attendons avec impatience la deuxième partie de l'émission.

La caméra nous entraîne au-dessus des grands espaces. On traverse des nuages, puis on aperçoit une ville, tout en bas. Une ville moderne. C'est Lima, la capitale du Pérou. On retrouve les momies.

« *Elles étaient entourées d'objets de valeur*, dit un archéologue. *Mais ce qui nous importe aujourd'hui c'est de noter que toutes les momies incas sont en position fœtale.* »

– Comme les bébés dans le ventre de leur mère, nous explique Nonita. Recroquevillés, les genoux repliés vers le menton.

J'imite la position, pour me la représenter.

La tribu des Incas, précise le commentaire, *n'était pas plus grosse que les autres, mais elle était bien organisée et surtout ses guerriers étaient redoutables. Peu à peu, ils ont dominé les autres tribus de la* région. *Leurs souverains se considéraient comme des divinités et s'appelaient Fils du Soleil. Pour plaire aux dieux, de beaux jeunes gens étaient sacrifiés tous les ans.*

Horrifiée, Déborah se prend les joues entre les mains.

« *Les Espagnols sont arrivés vers 1530*, reprend l'archéologue. *Quelques années plus tard, les Incas et les autres tribus indiennes avaient presque entièrement disparu.* »

— Pourquoi ont-ils disparu ? demande Jack.

« *Lima a été fondée en 1535 par l'Espagnol Francisco Pizarro. L'homme qui se vante d'avoir vaincu les Incas. Et c'est là que l'enquête démarre ! C'est là que les archéologues ont joué un rôle de détectives. Leur enquête est passionnante !* »

Le seul mot de détective nous met en alerte. Qu'est-ce qu'ils ont trouvé, ces gratteurs de terre ? Quels secrets ont-ils découverts ?

On se cale dans le canapé : Déborah assise sur un talon, Jack les coudes sur les genoux, mains pendantes, et moi dans la position des momies. On attend de connaître la suite… Mais le journaliste annonce alors que la troisième partie du film sera donnée vendredi prochain. Deux jours à attendre !…

On saute tous les trois à terre avec une grosse envie de gigoter. Jack propose de jouer aux Incas, aux Indiens et aux Espagnols. Il veut être un Fils du Soleil. Il est même prêt à sacrifier une jeune fille. Mais Déborah refuse de jouer la jeune fille.

– C'est l'heure du goûter ! lance Nonita qui découpe déjà la grande tarte aux pommes.

– Moi je suis le Soleil ! Je procure la nourriture et la chaleur !

J'aime bien ma grand-mère parce qu'elle joue avec nous et qu'elle fait des tartes délicieuses.

Le soir, dans ma chambre, je repense aux tombes qu'on a découvertes hier. Comme la nuit vient, je me sens moins sûr de moi. J'aime beaucoup les enquêtes, découvrir des secrets, mais cette fois-ci, je me dis qu'on est peut-être allés trop loin. Est-ce qu'il ne vaudrait pas mieux tout laisser tomber ? On pourrait trouver d'autres jeux !

Mais s'il est possible de connaître la vérité, si elle est toute proche, c'est dommage d'abandonner. Je sens qu'on est tout près de savoir. Que font ces tombes sur une colline désertique ? Et pourquoi des petites tombes ? Pas pour des enfants, tout de même !

Finalement, je regrette que de vrais archéologues ne viennent pas fouiller les lieux avec nous. On est trop jeunes pour faire ça tout seuls. Oui, mais jamais des archéologues n'accepteront de venir ici, dans ce petit village français ! Décidément, il va falloir que nous nous débrouillions, Jack, Déborah et moi.

Chapitre 4
Les deux tombes

Au quatrième jour de vacances, le ciel est encore incertain. Le vent souffle en rafales. Apportera-t-il la pluie ou le beau temps ? Mais on est décidés à retourner vers la colline aux loups. Nonita nous a autorisés à sortir. Les parents de Jack ne s'occupent pas de ce qu'il fait et la mère de Déborah travaille toute la journée. C'est donc ma grand-mère qui décide.

— Soyez prudents, tout de même ! lance-t-elle en guise d'au revoir.

A-t-elle l'impression qu'un danger nous guette ?

Nous montons en silence jusqu'au chemin de crête et nous dirigeons d'un pas rapide vers les deux tombes.

Mais soudain un bruit de moteur résonne. C'est une camionnette, qui a dû emprunter le chemin qui monte, avec beaucoup de virages, sur l'autre versant de la colline. Instinctivement, nous nous cachons tous les trois. Une petite pluie fine commence à tomber. Nous devrions rentrer mais nous ne bougeons pas. Je crois que nous sommes tous les trois curieux de savoir ce que la camionnette vient faire là. Cachés derrière un gros buisson, nous observons ce qui se passe, le souffle retenu. Un homme ouvre l'arrière du véhicule et attrape une énorme pelle, qu'il place sur son épaule. De sa main gauche, il tient aussi une grosse boîte d'où sortent, visibles, différents outils. Il ne fait pas partie des gens qui entretiennent les bois et les collines autour du village. Ceux-là ont des petits tracteurs et des grandes faux électriques.

— Suivons-le, Mister Ka ! chuchote Jack.

Cela me paraît risqué, mais je ne veux pas perdre ma réputation de détective actif et courageux. On avance doucement derrière l'homme, accroupis ou presque allongés, en se cachant derrière le moindre arbuste. L'homme avance en direction des tombes ! Pour ne pas être à découvert, nous nous enfonçons dans un gros massif de buis. Nous sommes à dix mètres de lui, environ. Les branches nous piquent les joues et les oreilles mais nos trois paires d'yeux voient parfaitement la scène. Jack bouge un peu pour se dégager les bras. Aussitôt l'homme se retourne ! Il a entendu un bruit ! Il va nous repérer. Mais il hésite, tend l'oreille, reprend son chemin. Puis il s'arrête, non loin de l'endroit maudit. D'un regard circulaire, il vérifie qu'il n'y a personne en vue. Sentirait-il notre présence ? Il allume une cigarette et secoue la tête, comme s'il réfléchissait. J'espère que nous n'allons pas éternuer et que Jack va rester immobile. L'homme jette son mégot dans notre direction. Nous baissons instinctivement la tête même si nous sommes trop loin pour être atteints. Et il commence à creuser !

Est-ce qu'il ferait partie de ces gens qui enterrent les cadavres ici ? Pour le moment, il n'a que des outils, on ne peut donc pas savoir.

– Allons voir ce qu'il a dans sa camionnette, murmure Jack.

J'ouvre de grands yeux, pas très sûr que ce soit une bonne idée, mais j'acquiesce en hochant la tête, n'ayant pas vraiment le choix. Déborah part la première, à mon grand étonnement. Elle s'avance en rampant presque, faisant le moins de bruit possible. Nous la suivons. Je tourne la tête pour voir ce que fait l'homme à l'énorme pelle. Il a cessé de creuser, s'essuie le visage avec sa

manche de chemise, puis reprend avec vigueur.

— Et han ! crie-t-il. Et han !

Ces cris ne nous rassurent guère. L'homme a l'air d'un grand barbare. En plus, il est barbu.

S'approcher de la camionnette est particulièrement dangereux. Si l'homme voit qu'on s'apprête à découvrir son secret, il ne va pas être content du tout. On avait bien noté qu'il avait laissé la porte arrière de sa camionnette ouverte, mais ce qu'on n'avait pas prévu, c'est qu'il y aurait tout un bazar dedans. Donc, impossible de repérer quoi que ce soit, sauf à tout fouiller. Puis on distingue une couverture grise, qui recouvre une forme inerte et arrondie. Un cadavre ? La peur nous prend.

On se regarde, interdits. On ne sait plus quoi faire. Mais aucun de nous ne veut soulever la couverture. Je revois les momies incas, en un éclair. Aucune envie d'en voir une ici. Même Jack n'en mène pas large. Déborah fait un petit signe, qui nous donne le départ.

En silence, nous faisons demi-tour. Dès que nous avons atteint le sentier, nous descendons aussi vite que possible. Nos chaussures dérapent sur les cailloux qui roulent mais mieux vaut risquer une chute que d'être rattrapés par cet individu !

Arrivés sur la place du village, nous soufflons un peu. Déborah me sourit, soulagée. Mais Jack, encore une fois, est déçu. Moi aussi, à vrai dire.

Nous avons *laissé ces pauvres morts*

tranquilles, mais nous ne savons pas qui ils sont ni qui les a enterrés là. Les archéologues ont le droit de fouiller, eux, puis de montrer à la télévision leurs précieuses découvertes !

Chapitre 5
Des morts étranges

Vendredi, la pluie tombe à nouveau. Pour une fois, cela nous est égal. On a très envie de connaître le secret des fouilleurs de tombes. C'est la troisième et dernière partie du documentaire. Nous nous installons cinq minutes avant l'heure, impatients.

En réponse à notre curiosité, le documentaire nous montre dès le début un squelette allongé auquel il manque un bout de jambe et un pied !

Je n'aime pas trop voir ça, et en même temps, ça m'attire.

« *Vous voyez !* dit un archéologue barbu à l'air sérieux. *Cet Inca n'est pas en position recroquevillée comme devaient l'être les morts incas. C'est qu'il n'a pas été enseveli par les siens. Cet homme était un guerrier de vingt ans qui a été tué ici, près de Lima, pendant une grande bataille contre les Espagnols.* »

– Nous, les Européens, on enterre les morts en position allongée, insiste Nonita. La tradition n'est pas la même pour les Incas.

Déborah s'allonge par terre pour montrer qu'elle a bien compris.

Et comment se fait-il que les Espagnols aient totalement triomphé ? C'est la question qui se pose. Pourtant ils étaient peu nombreux. Même avec leurs armes à feu, qui constituaient un gros avantage, ils auraient dû être vaincus par les Incas, qui étaient très organisés, très puissants.

« *La clé de l'énigme est là !* dit l'archéologue en désignant le crâne. *Dans ce crâne, il y a un trou. Vous voyez ? Un trou de balle. C'est le premier Inca qu'on découvre tué par balle par un Espagnol.* »

Il a l'air très fier de cette découverte.

« *Mais il y a autre chose,* poursuit-il, du ton d'un policier qui a résolu une énigme. *À côté de cet Inca tué par un Espagnol, on a retrouvé d'autres corps d'Incas, tués, eux, par des poignards appartenant aux tribus indiennes !* »

L'homme se tourne vers le public, que nous sommes, l'index levé.

« Cela signifie que les Espagnols se sont alliés aux tribus indiennes pour affronter les Incas. Les Espagnols avaient les armes à feu, mais les tribus indiennes étaient composées d'hommes très nombreux, qui haïssaient les Incas ! »

– Pourquoi c'est si important ? demande Jack.

« Lorsque Francisco Pizarro, le chef de la petite troupe espagnole, est revenu en Espagne, il a déclaré qu'il avait vaincu seul les Incas. Et c'était un gros mensonge ! Sans l'aide des autres tribus indiennes, il n'aurait jamais gagné ! »

– Et ensuite ? demande Déborah. Que s'est-il passé ?

« Les tribus indiennes, explique le film, *pensaient retrouver leur liberté grâce à leurs alliés espagnols. Elles ont imaginé que*

les Espagnols les aideraient, puis partageraient les trésors incas avec elles. Mais Francisco Pizarro les a complètement bernées. Une fois les Incas vaincus, il a tout simplement éliminé les autres tribus, qui lui faisaient confiance. Il les a eues par la ruse. Il a fait venir tous les chefs dans son camp, les a reçus comme des invités d'honneur, puis ses soldats ont tiré sur eux, avec leurs armes à feu.

Et les conquistadores espagnols sont devenus les maîtres. »

L'émission se termine. On voit de beaux objets de différents musées : des vases, des boucles d'oreilles, des statuettes, des tissus, des coiffures de plumes très colorées. Une douce musique de flûtes andines nous accompagne au-dessus des montagnes, on

Statue, Mexique

Vase, Pérou

Coiffe Aztèque, Mexique

Lances, Brésil

Boucles d'oreilles, Colombie

dirait des voix humaines. C'est beau mais je ne peux pas m'empêcher d'être triste. Tous ces morts ! Toutes ces batailles !

Quand je pense que Maman voulait que nous regardions des émissions calmes, intelligentes et rassurantes ! Elle ne devait pas se douter qu'il serait question de momies, de squelettes, de crânes transpercés et de guerres !

Jack et Déborah me quittent, un peu troublés par ces révélations. Je leur adresse un petit sourire pour leur remonter le moral et leur donne rendez-vous au lendemain. Nous aussi nous devons résoudre une énigme.

Chapitre 6
Le secret de la montagne aux loups

Le samedi, Déborah fait des courses en ville avec sa mère. Jack les aide à porter les paquets. Nous nous retrouvons chez ma grand-mère pour le goûter. Déborah aborde la première le sujet qui nous passionne.

— Nonita, dit-elle très poliment, savez-vous s'il y a des tombes en haut de la colline aux loups ? Pas seulement des ossements, mais de vraies tombes ?

J'admire sa façon de poser les questions de manière aussi franche. Ma grand-mère la regarde et pousse un long soupir. Elle a toujours bien aimé Déborah. Entre elles deux, le courant passe, comme dirait Maman.

— Eh bien, Déborah, je dois t'avouer que c'est là que mon mari avait enterré ce cher Silvio.

Là-dessus, Nonita part dans la réserve pour chercher du sucre en poudre. Pendant son absence, on échange des regards avec mes amis. Jack lève les sourcils puis demande tout bas :

— Silvio ? C'est qui celui-là ?

Je serre les lèvres très fort pour signifier que je n'en ai pas la moindre idée. Quand elle revient, je risque un :

— Silvio, Nonita ? Tu disais ?...

— Normalement, c'est interdit. Mais dans la nature, c'est quand même mieux que dans un cimetière et je n'aime pas trop l'idée de l'incinération. Ça pourrait se faire dans le jardin, mais vite, il n'y aurait plus assez de place, vous imaginez bien.

Pour ma part, je n'imagine pas grand-chose. Ou plutôt, je préfère ne rien imaginer. Mais je suis un peu mal à l'aise vis-à-vis de mes amis. De qui ai-je l'air avec une grand-mère qui enterre les morts en cachette ? Et pourquoi le fait-elle ? Un silence flotte dans la cuisine comme un petit nuage gris.

Rex se met à couiner. On dirait qu'il attend une explication.

— Nous ne sommes pas les seuls à

enterrer nos chiens là-bas, dit finalement ma grand-mère.

Je la regarde avec de grands yeux. C'était donc ça ?

— On ne trouvera pas de squelettes humains comme les archéologues ! dit Déborah, avec un grand sourire de soulagement.

— Il faudrait fouiller les champs de batailles, répond Nonita. Là, c'est possible qu'il reste des ossements.

— En tout cas, on ne trouvera pas de momie dans ce pays, dit Jack.

— Non, dit ma grand-mère en commençant d'éplucher des oignons. Ce n'était pas dans les traditions par ici.

Dans la boîte à lettres, je trouve une carte de Maman.

Elle a écrit :

« *J'ai vu cette jolie poupée inca au musée du quai Branly. Et j'ai pensé à vous ! Mille baisers.* »

La poupée est très mignonne avec sa robe de couleurs vives. Nonita accroche la carte au-dessus de la cheminée, pour que nous puissions l'admirer. Je me dis que c'est mieux de penser aux Incas de cette façon plutôt qu'en voyant des squelettes.

Ma grand-mère nous sert de grands bols de chocolat chaud. On se sent bien ici.

— Qu'est-ce qu'on a eu peur ! dit soudain Jack, l'air ravi.

Je pense, comme lui, qu'on passe des vacances formidables.

Quand Papa viendra me chercher, je lui raconterai que les archéologues découvrent des secrets très anciens mais que nous aussi, avec mes amis, on en a découvert. Il sera content de voir que je suis, comme lui, un bon détective !